**Illustrationen von Paul Moran,
Steve Wiltshire und Simon Ecob**

**Text von Jen Wainwright
Aus dem Englischen von Ulrike Lelickens**

BAUMHAUS VERLAG

Das große Erdmännchen-Abenteuer

Mach dich bereit für ein Abenteuer, das dich um die ganze Welt führt. Gleich wirst du mit einer Familie von Erdmännchen Bekanntschaft machen, die nur Unsinn im Kopf haben und die schönste Reise ihres Lebens antreten. Sie haben dich eingeladen mitzukommen ...

Deine Aufgabe

Du musst nichts weiter tun, als auf jedem Bild zehn Erdmännchen zu finden. Klingt eigentlich ganz einfach, oder? Aber aufgepasst: Diese Familie versteht es sehr gekonnt, in der Menge abzutauchen, du brauchst also eine echte Spürnase. Falls du mal wirklich nicht weiterkommst, findest du die Lösungen hinten im Buch.
Und für echte Adleraugen gibt es da auch noch die spezielle „Checkliste für Spürnasen". Mit der kann man auf jedem Bild weitere lustige Sachen finden und nacheinander abhaken.

Also dann: Gute Reise und viel Spaß beim Suchen!

Die ganze Familie

Nun ist es Zeit, die Erdmännchen kennenzulernen und mehr über diese verrückte Familie zu erfahren.

Hintere Reihe [von links nach rechts]: Miranda, Florian, Albert, Paul, Sofia, Mathis **Vordere Reihe [von links nach rechts]:** Franzi, Maxwell, Samson, Hannah

Wohnort:

Erdstadt, Afrika

Interessen:

Reisen, Abenteuer, Blödsinn machen, Verkleiden

Lieblingsmusik:

Die Erdste, Lady Erdihanna

Lieblingsfilme:

Ein amerikanisches Erdmännchen in Paris, *Das Erdmännchen auf dem heißen Blechdach*

Lieblingsbücher:

Von Termiten und Erdmännchen von John Steinbock, *Hilfe, die Erdmanns kommen* von Barbara Robinson

Lieblingszitat:

„Sei du selbst die Veränderung, die du dir wünschst für diese Welt." - Erdmatma Gandhi

Hier werden sie einzeln vorgestellt:

Wenn du hier weiterliest, erhältst du wichtige Informationen zu jedem einzelnen Familienmitglied.

Miranda

Miranda hat die Mutterrolle in der Gruppe. Sie hat ein Händchen fürs Praktische, ist vernünftig und hat immer ein sauberes Taschentuch dabei. Außerdem kann sie jeden James-Bond-Titelsong auswendig.

Florian

Dieses muntere Kerlchen macht einen super Bananenmilchshake und hat vor kurzem angefangen, Volkstanz zu lernen. Außerdem ist er der beste Mungowitze-Erzähler weit und breit.

Albert

Die anderen in der Gruppe nennen ihn meist nur „Opi". Der würdige und rüstige alte Herr besitzt eine riesige Sammlung an alten Baseballkarten.

Paul

Paul träumt von einer Karriere als Rockstar. Er spielt Fagott - leider schlecht -, hat aber eine Rockballade geschrieben, die, wie er hofft, einmal im Radiosender *Scorpion FM* gespielt wird.

Sofia

Der bisherige Höhepunkt in Sofias Leben war ihre Nominierung als Kandidatin für den renommierten Schönheitswettbewerb zur „Miss Erdmännchen". Sie weigert sich stets entschieden, ohne ihre Pelzglätteisen zu verreisen.

Mathis

Hier riecht's nach Ärger. Mathis kann man normalerweise immer genau dort antreffen, wo er nicht sein soll. Zu seinen besonderen Begabungen zählt es, sich sechs Kekse auf einmal in den Mund stopfen zu können.

Franzi

Die quirlige Franzi ist das „Küken" der Gruppe. Sie macht sich gern einen besonderen Spaß daraus, Sofia zur Weißglut zu bringen, indem sie ihre Kosmetikartikel auf Bäumen und in Löchern versteckt.

Maxwell

Maxwell ist bekannt für seine vielen klugen Einfälle. Seine Pläne für den „Erdmannomaten", eine Maschine, die halb Raubtieralarm und halb Raketenrucksack ist, hat er fast fertig.

Samson

Samson gilt als stilles Wasser. Der Bücherwurm interessiert sich für Botanik, besitzt aber auch einen schwarzen Gürtel in Karate und beeindruckt alle mit seinen spektakulären Kicks.

Hannah

Hannah ist eine richtige Künstlerin, die ständig mit Malen und Bildhauerei beschäftigt ist. Ihre vor Kurzem angefertigten „kubistischen Familienporträts" stießen allerdings bei ihren Geschwistern auf keine allzu große Begeisterung.

Rio de Janeiro, Brasilien

Die Familie ist in Rio gelandet und bereits mächtig in Partylaune. Sie fahren direkt zum Sambadrom, wo nicht weniger als 50.000 Musiker und Künstler in ihren toll gestalteten Kostümen an einer jubelnden Menge vorbeiziehen.

Hannah und Sofia freuen sich wahnsinnig darauf, die ganze Nacht durchzutanzen und haben schon vorher fleißig ihre besten Sambaschritte einstudiert. Die Partys und Umzüge dauern oft bis zum frühen Morgen – da werden die Erdmännchen dann wohl nicht die Allermuntersten sein ...

New York, USA

Während die erwachsenen Familienmitglieder sich das Empire State Building und die Freiheitsstatue ansehen wollen, zieht es Franzi und Paul zum Times Square. Von den vielen grellen Neonlichtern sind sie absolut hin und weg.

Jeden Tag besuchen 1,6 Millionen Menschen den Times Square. Kein Wunder, dass man sich da leicht im Getümmel verliert. Aber Franzi und Paul haben versprochen, sich mit den anderen am Spielzeugladen wiederzutreffen. Ein riesiger beweglicher Tyrannosaurus Rex sowie ein Riesenrad und ein Puppenhaus über zwei Etagen machen diesen Ort für sie zum aufregendsten der ganzen Reise.

MUMMA
MIA!
STARDUCKS
COFFEE
Kokad
VK
VK
EVU
SCENT
HAYBELINE
NEW YORK
T.G.I
MONDAY!
T.G.I
MONDAY!
F

Innsbruck, Österreich

Die Olympischen Winterspiele haben schon zweimal in Innsbruck stattgefunden – für die Erdmännchen also der perfekte Ort, um ihre Künste im Skifahren auszuprobieren.

Albert zeigt sich zur Überraschung aller als echtes Naturtalent und traut sich sogar, ein paar Snowboardtricks auszuprobieren.
Der arme Samson ist weit weniger erfolgreich. Nach einigen blöden Stürzen würde er das Skifahren lieber sein lassen und direkt in die Stadt zurückkehren, um sich dort das Schloss und die Hofburg anzuschauen.

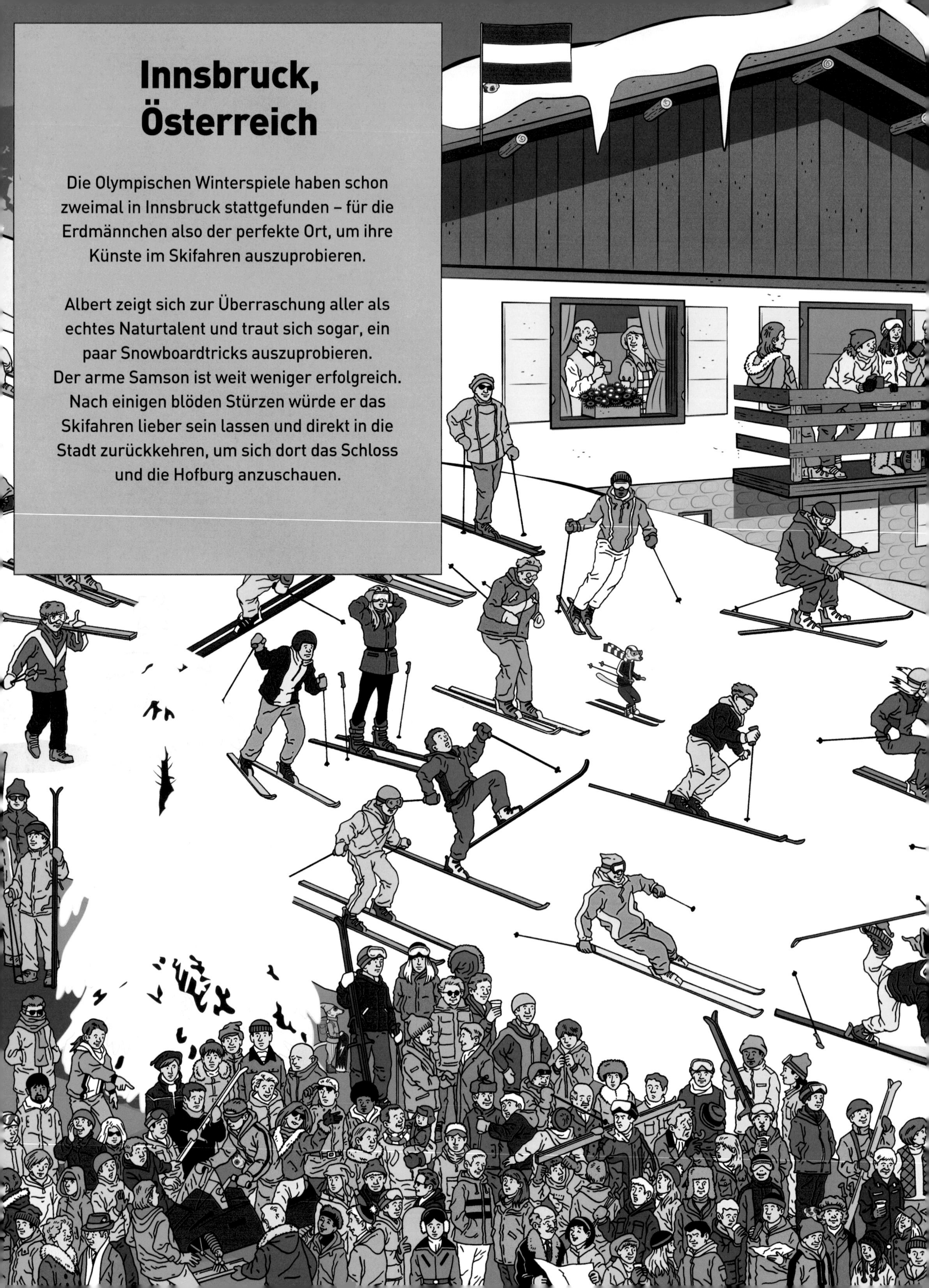

Café de Paris

Paris, Frankreich

Schon als sie ganz klein war hat Sofia davon geträumt, einmal nach Paris zu fahren. Mit ihrem dauernden Gerede über Shopping und Mode, über Shopping und Liebesgefühle, über Shopping und leckeren Kuchen, über Shopping und ... also über Shopping eben hat sie alle verrückt gemacht.

Neben dem Besuch der schicken Boutiquen auf der Champs-Elysées will sie abends auf den Eiffelturm klettern, und zwar 324 Meter hoch bis ganz nach oben zur Antenne – oje! Aber sie möchte eben mit eigenen Augen sehen, warum Paris auch die „Stadt der Lichter“ genannt wird - „Oh, là, là!“

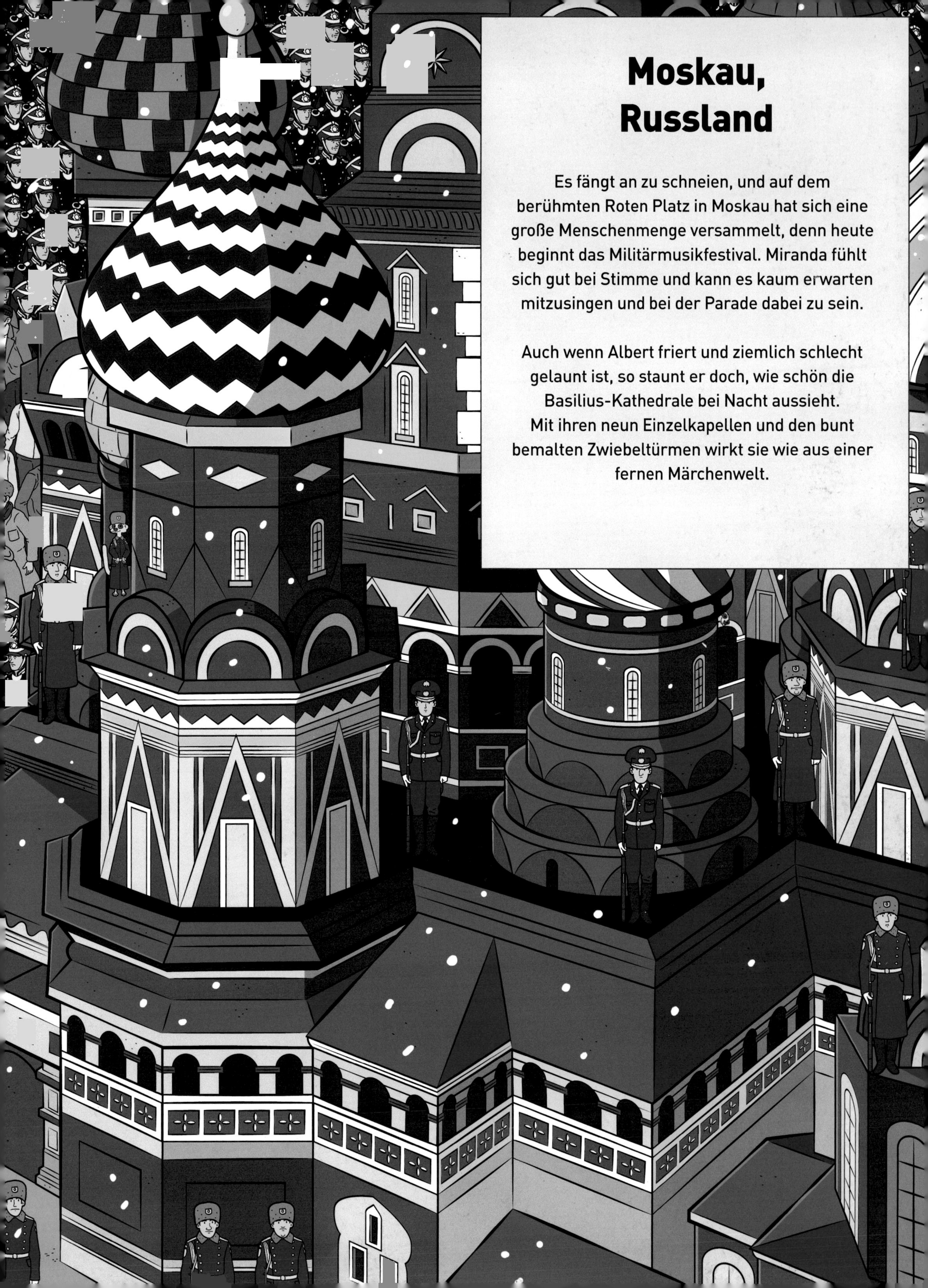

Moskau, Russland

Es fängt an zu schneien, und auf dem berühmten Roten Platz in Moskau hat sich eine große Menschenmenge versammelt, denn heute beginnt das Militärmusikfestival. Miranda fühlt sich gut bei Stimme und kann es kaum erwarten mitzusingen und bei der Parade dabei zu sein.

Auch wenn Albert friert und ziemlich schlecht gelaunt ist, so staunt er doch, wie schön die Basilius-Kathedrale bei Nacht aussieht. Mit ihren neun Einzelkapellen und den bunt bemalten Zwiebeltürmen wirkt sie wie aus einer fernen Märchenwelt.

Die Chinesische Mauer, China

Die Chinesische Mauer ist 8.851,8 Kilometer lang. Florian bleibt fast die Spucke weg bei Alberts Vorschlag, die ganze Mauer einmal abzulaufen.

Hannah staunt über die Legende von Meng Jiang Nu. Sie handelt von einer schönen jungen Frau, die sehr weinte, als sie erfuhr, dass ihr Mann beim Bau der Mauer ums Leben gekommen ist, weil ein Teil des Bauwerks zusammengestürzt war. Hannah findet den Weg so romantisch, dass sie sich nicht einmal beschwert, als ihre Füße vom vielen Laufen ganz wehtun.

Osterinsel, Südpazifik

Maxwell, der Technikfreak, war total davon überzeugt, dass es auf der Osterinsel „ganz schön langweilig“ werden würde. Aber jetzt findet er es richtig faszinierend, auch wenn der Handy-Empfang hier zu wünschen übrig lässt.

Die „Moai“-Statuen stehen auf der gesamten Insel und wiegen teilweise mehr als 80 Tonnen. Viele wurden vor über 1.000 Jahren in Stein gemeißelt. Eifrig versucht Maxwell herauszubekommen, wie diese gigantischen Gebilde wohl damals ohne Maschinen auf der Insel transportiert wurden.

Sydney, Australien

Hannah, die Kunst- und Musikliebhaberin, wollte unbedingt nach Sydney, um sich dort die berühmte Oper anzusehen. Zu ihrer Überraschung sind die Keramikfliesen auf dem Dach des Weltkulturerbe-Denkmals aus der Nähe betrachtet fast gelb und nicht weiß, wie sie es eigentlich erwartet hatte.

Obwohl man es ihm ausdrücklich verboten hat, klettert Mathis sofort die Sydney Harbour Bridge hoch. Sie wird von den Einheimischen als „coat hanger“ (Kleiderbügel) bezeichnet und ist die größte Stahlbogenbrücke der Welt.

London, Großbritannien

Obwohl sich die Familie erst kurze Zeit in London aufhält, hat Florian sich bereits in die Stadt verliebt. Er hat eine riesige britische Flagge (den „Union Jack“) und einige Souvenirteller von der königlichen Hochzeit von Prinz William und Catherine, der Herzogin von Cambridge, gekauft und will zu Hause damit den Erdbau schmücken.

Gerade findet der Wachwechsel am Buckingham-Palast statt. Die Menschen haben sich alle versammelt, um den Soldaten in ihren Uniformen und den hohen Bärenfellmützen beim Marschieren zuzuschauen.

SIGHTSEEING TOUR

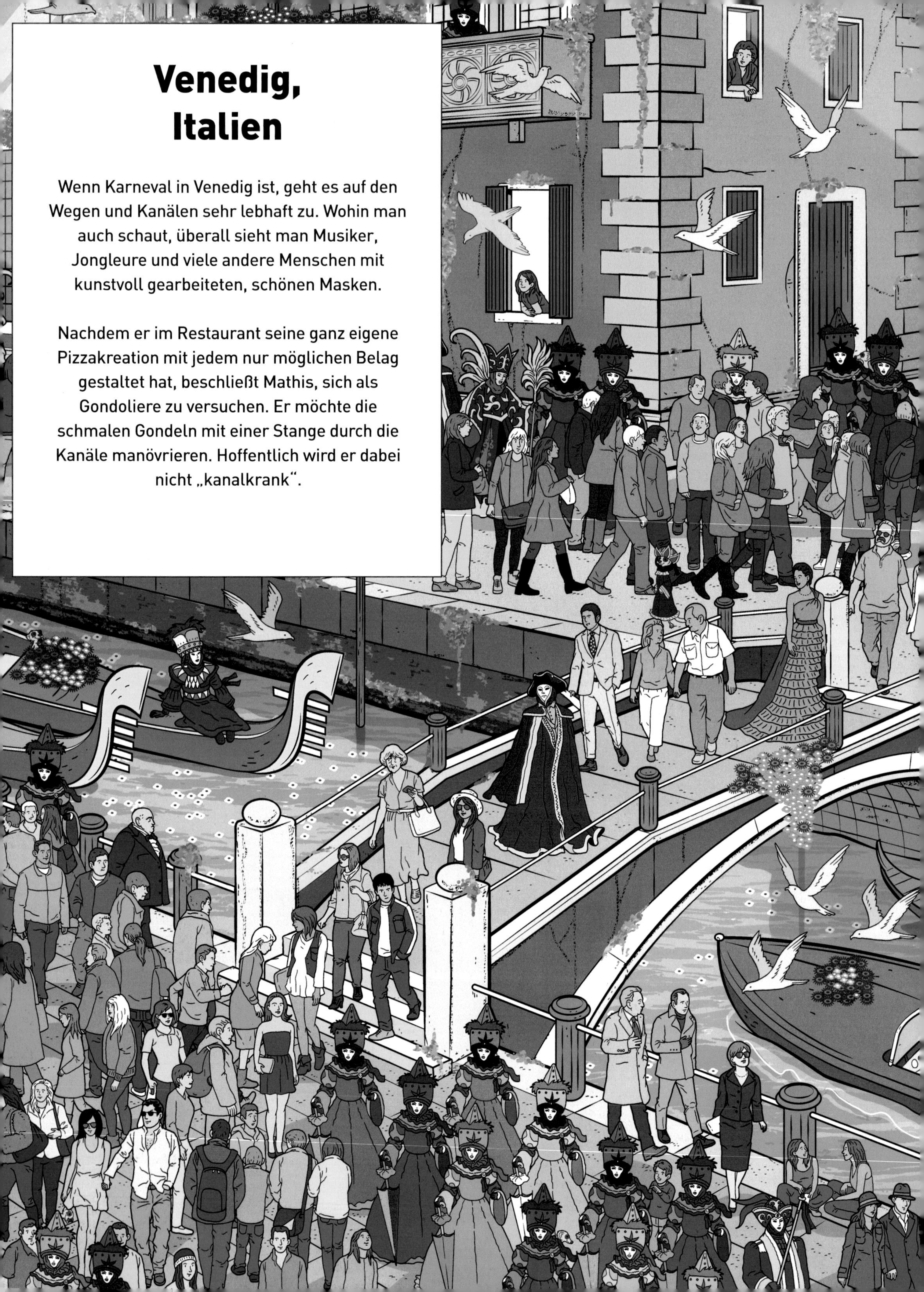

Venedig, Italien

Wenn Karneval in Venedig ist, geht es auf den Wegen und Kanälen sehr lebhaft zu. Wohin man auch schaut, überall sieht man Musiker, Jongleure und viele andere Menschen mit kunstvoll gearbeiteten, schönen Masken.

Nachdem er im Restaurant seine ganz eigene Pizzakreation mit jedem nur möglichen Belag gestaltet hat, beschließt Mathis, sich als Gondoliere zu versuchen. Er möchte die schmalen Gondeln mit einer Stange durch die Kanäle manövrieren. Hoffentlich wird er dabei nicht „kanalkrank“.

Gizeh, Ägypten

Die Große Sphinx von Gizeh ist wirklich beeindruckend. Die riesige Statue hat einen Löwenkörper und einen Menschenkopf. Paul findet, dass sie mit einem Drachenkörper und einem Erdmännchenkopf viel besser aussehen würde.

Paul hat gelernt, dass die alten Ägypter ihre Toten mumifizierten, indem sie sie in Tücher einwickelten. Doch davor entfernten sie ihnen noch das Gehirn durch die Nase. Igitt. Und jetzt droht Paul seinen Schwestern damit, wenn sie ihn nerven … Und sie nerven ihn eigentlich fast die ganze Zeit.

Bangkok, Thailand

Die schwimmenden Märkte von Bangkok sind ein einziges Fest der Gerüche, Farben und Klänge. Nach einem langen Tag hat Franzi einen Bärenhunger, und bei all den tropischen Früchten, dem Gemüse und Fleisch und den scharf gewürzten Köstlichkeiten, die aus den Booten verkauft werden, die Qual der Wahl.

Die Verkäufer paddeln mit den Booten über die Kanäle (Khlongs), preisen ihre Waren an und verkaufen sie. Zum Schluss ist Franzi so satt, dass sie keinen weiteren Bissen mehr herunterbekommt.

Kyoto, Japan

Auf diese Besichtigung hat sich Miranda schon seit Jahren gefreut. Japans Shinto-Schreine sind als Orte der Ruhe und Stille bekannt. Sie kann es kaum erwarten, unter den blühenden Kirschbäumen tief durchzuatmen und ein wenig von der ruhigen und friedvollen Atmosphäre in sich aufzunehmen.

Das wunderschöne Gebäude ist ein Schrein und dient der Verehrung der „Kami", der heiligen Geister der Shinto-Religion. „Kami" sind nicht immer nur Götter und Göttinnen, sie können auch Naturgewalten wie Donner und Wirbelstürme oder Teile der Natur wie Seen und Bäume sein.

Santa Cruz, USA

Die Erdmännchen haben beschlossen, sich eine Weile am Strand von Santa Cruz in der warmen kalifornischen Sonne auszuruhen. Während Sofia auf der Strandpromenade herumstolziert, übt Paul das Surfen – das sieht sehr lustig aus.

Später will die Familie in den Vergnügungspark. Hannah und Samson können es kaum erwarten, mit dem Giant Dipper zu fahren, einer kultigen Holz-Achterbahn, die 1924 eröffnet wurde. Albert hat entschieden, dass er für so was einfach zu alt ist. Er lehnt sich lieber entspannt zurück und schaut den jungen Leuten zu – und genehmigt sich dabei etwas von der süßen Spezialität des Parks (Funnel Cake), was so eine Art Berliner ist.

1

Das Great Barrier Reef, Australien

Im kristallklaren Wasser des Great Barrier Reef gibt es mehr als vierhundert Korallenarten in wunderschönen Farben. Samson kommt sich hier wie im Paradies vor – seine Mutter meint, er sei immer schon eine Wasserratte gewesen – und beim Schwimmen mit den Fischen und Wasserschildkröten fühlt er sich buchstäblich „wie ein Fisch im Wasser".

Auch wenn das Riff eines von sieben Natur-Weltwundern ist, braucht es schon eine Menge Überredungskunst, um Sofia dazu zu bewegen, hier mit zu tauchen – denn dabei wird schließlich das Fell nass und ist dann ganz strubbelig und wuschelig. Und das wäre natürlich eine Katastrophe.

Marrakesch, Marokko

In Marrakesch darf ein Besuch des faszinierenden Marktgewirrs, der sogenannten „Soukhs“, nicht fehlen.

Dort gibt es Berge von Datteln, Gewürzen und Früchten, helle Seidenstoffe und bunte Ledertaschen, Töpfe, Teller, und alle möglichen anderen Dinge, die man kaufen kann und um die es sich feilschen lässt. Leider scheint Mathis das Prinzip des Feilschens nicht so ganz verstanden zu haben, denn er bietet immer einen höheren statt niedrigeren Betrag für das kleine geschnitzte Kamel, das er gerne kaufen möchte. Zum Glück ist Miranda zur Stelle, um einzugreifen und hält ihn davon ab, zu viel zu bezahlen.

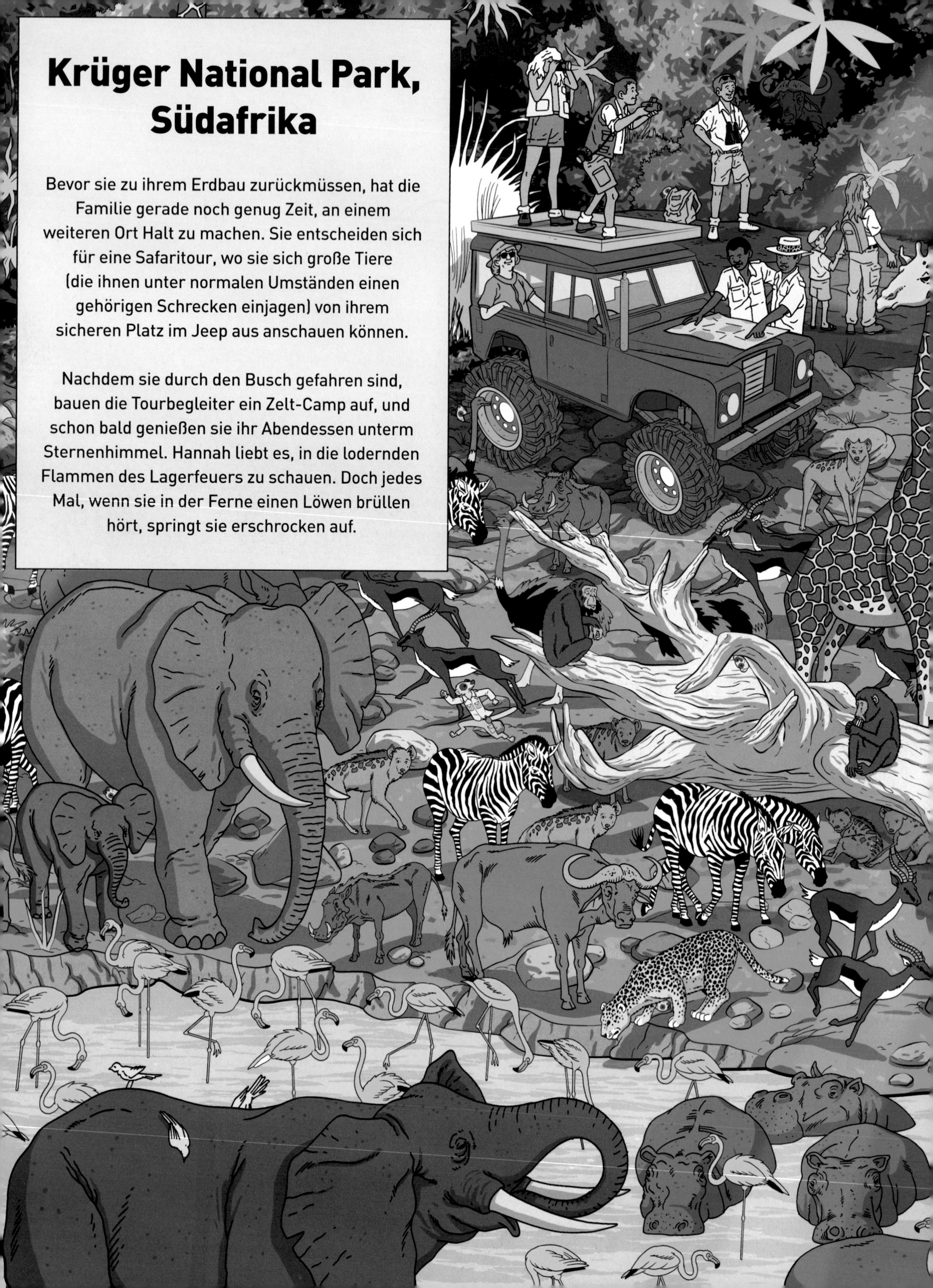

Krüger National Park, Südafrika

Bevor sie zu ihrem Erdbau zurückmüssen, hat die Familie gerade noch genug Zeit, an einem weiteren Ort Halt zu machen. Sie entscheiden sich für eine Safaritour, wo sie sich große Tiere (die ihnen unter normalen Umständen einen gehörigen Schrecken einjagen) von ihrem sicheren Platz im Jeep aus anschauen können.

Nachdem sie durch den Busch gefahren sind, bauen die Tourbegleiter ein Zelt-Camp auf, und schon bald genießen sie ihr Abendessen unterm Sternenhimmel. Hannah liebt es, in die lodernden Flammen des Lagerfeuers zu schauen. Doch jedes Mal, wenn sie in der Ferne einen Löwen brüllen hört, springt sie erschrocken auf.

Checkliste für Spürnasen

- Ein Mann mit grüner Perücke ☐
- Sechzehn blaue Luftballons ☐
- Ein Tamburin ☐
- Ein Trommler ☐
- Eine lila Baseballkappe ☐
- Eine Fransenhose ☐
- Ein getupfter Bikini ☐
- Weiße Ellbogenstulpen ☐
- Eine orange Tasche ☐
- Eine Tänzerin mit unterschiedlichen Schuhen ☐

Checkliste für Spürnasen

- Vier Taxis ☐
- Eine Uhr ☐
- Eine Joggerin ☐
- Ein Junge, der einen Stadtplan liest ☐
- Ein Mann, der ein Foto macht ☐
- Eine braune Baseballkappe ☐
- Ein roter Sportwagen ☐
- Ein Polizist ☐
- Auf den Boden gefallener Müll ☐
- Ein Mädchen mit einer Pudelmütze ☐

Checkliste für Spürnasen

- Becher, aus denen Kaffee verschüttet ist ☐
- Ein Mann, der Donuts aus einer Tüte isst ☐
- Zwei Rettungsärzte von der Bergwacht ☐
- Ein rot-gelbes Snowboard ☐
- Ein Mann mit einer roten Fliege ☐
- Jemand, der sich auf dem Skilift ausruht ☐
- Ein gefährliches Fahrmanöver ☐
- Ein Kind, das Ski fahren lernt ☐
- Ein Snowboardfahrer mit einem Ziegenbärtchen ☐
- Ein Mann, der seine Mütze wieder aufsetzt ☐

Checkliste für Spürnasen

- Eine Geburtstagstorte ☐
- Eine Katze unter Tauben ☐
- Ein Mann mit einem Spazierstock ☐
- Ein Mann mit einem Laptop ☐
- Ein Saxofon-Spieler ☐
- Eine Frau, die Chips isst ☐
- Ein Mann mit einer lila Aktentasche ☐
- Ein Junge mit einem Stadtplan, der sich verirrt hat ☐
- Ein Regenschirm ☐
- Ein Mann, der die Straße fegt ☐

Checkliste für Spürnasen

- Ein Mann, der fotografiert ☐
- Ein Mann, der Zeitung liest ☐
- Eine Gruppe von Mafiosi ☐
- Ein Brieftaschenräuber ☐
- Ein Mann mit einer Fliege ☐
- Eine Frau mit pinken Haaren ☐
- Ein winkender Mann ☐
- Eine Gruppe von Nonnen ☐
- Ein Mann mit einem Kind auf dem Arm ☐
- Ein Mann mit Skibrille ☐

Checkliste für Spürnasen

- Drei Männer, die den Sonnenuntergang fotografieren ☐
- Ein junger Skateboardfahrer ☐
- Ein Mann mit Vollbart ☐
- Zwei Mädchen mit Fächern ☐
- Eine Wache in blassgrauer Uniform ☐
- Eine Schwert-Tai-Chi-Vorführung ☐
- Freunde, die sich beieinander eingehakt haben ☐
- Jemand mit einer lila Baskenmütze ☐
- Eine Wasserflasche ☐
- Ein Mann, der sich am Ohr kratzt ☐

Checkliste für Spürnasen

- Ein romantisches Picknick zu zweit ☐
- Eine wütende Mutter ☐
- Ein Stachelrochen ☐
- Zwei Schatzsucher ☐
- Leute beim Kartenspiel ☐
- Ein Junge, der am Daumen nuckelt ☐
- Ein Künstler ☐
- Männer, die über die Größe von Fischen diskutieren ☐
- Jemand, der in ein Loch gefallen ist ☐
- Ein lesender Mann ☐

Checkliste für Spürnasen

- Ein Baby in einem Tragetuch ☐
- Zwei Hüpfbälle ☐
- Eine Melone (Hut) ☐
- Ein roter Regenschirm ☐
- Zwei Didgeridoos ☐
- Ein Mensch, der barfuß ist ☐
- Ein Mann, der bei Nacht eine Sonnebrille trägt ☐
- Zwei Frauen mit dem gleichen Kleid ☐
- Ein Breakdancer ☐
- Ein rosa Kopftuch ☐

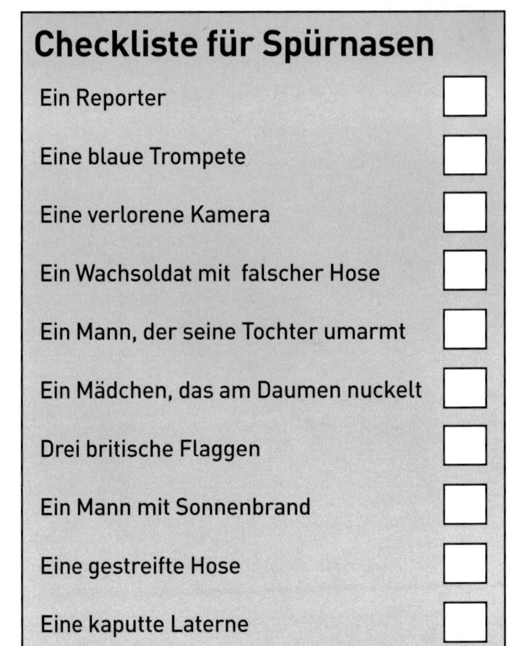

Checkliste für Spürnasen

- Ein Reporter ☐
- Eine blaue Trompete ☐
- Eine verlorene Kamera ☐
- Ein Wachsoldat mit falscher Hose ☐
- Ein Mann, der seine Tochter umarmt ☐
- Ein Mädchen, das am Daumen nuckelt ☐
- Drei britische Flaggen ☐
- Ein Mann mit Sonnenbrand ☐
- Eine gestreifte Hose ☐
- Eine kaputte Laterne ☐

Checkliste für Spürnasen

- Ein Mönch ☐
- Ein Mann mit zwei verschiedenen Schuhen ☐
- Ein pink-roter Regenschirm ☐
- Ein Geigenspieler ☐
- Eine getupfte Krawatte ☐
- Ein gelber Ärmel ☐
- Vier Händchen haltende Pärchen ☐
- Zwei goldene Masken ☐
- Ein Mädchen in lila, das auf seine Verabredung wartet ☐
- Eine Kellnerin auf dem Heimweg ☐

Checkliste für Spürnasen

- Ein Junge mit einer Fingerfalle ☐
- Ein lebender Pharao ☐
- Ein Mann, der hintenüberfällt ☐
- Ein Junge mit einem Tablett voller Basbousa (ägyptische Griesschnitten) ☐
- Ein Mann mit einem Handy am Ohr ☐
- Ein Mädchen, das sich die Haare hochsteckt ☐
- Ein Mann mit einem riesigen Karton ☐
- Eine winzige Mumie ☐
- Ein Kind, das bei seiner Mutter auf der Schulter sitzt ☐
- Ein Mann mit einem orangen Cowboyhut ☐

Checkliste für Spürnasen

- Ein pinker Hut ☐
- Ein Boot, das in Schwierigkeiten steckt ☐
- Eine Frau mit einem roten Rucksack ☐
- Ein Mann mit Krawatte ☐
- Ein Verkäufer mit Brille ☐
- Ein Korb voller Fische ☐
- Ein pinker Sonnenschirm ☐
- Zwei thailändische Flaggen ☐
- Bongos ☐
- Ein Mann, der gerade mitten in der Luft hängt ☐

Checkliste für Spürnasen

- Ein Teddybär ☐
- Ein Sumo-Ringer, der Autogramme gibt ☐
- Ein Mann mit grünen Haaren ☐
- Ein Hirsch ☐
- Ein Mann mit einer Videokamera ☐
- Ein Pärchen, das seine Fotos checkt ☐
- Schulkinder mit einem Samuraikämpfer ☐
- Eine Frau, die in ihrer Tasche kramt ☐
- Ein Mädchen mit einem Handy ☐
- Ein T-Shirt mit einer Zielscheibe darauf ☐

Checkliste für Spürnasen

- Ein gelber Drachen ☐
- Ein Bodybuilder ☐
- Eine Menschenpyramide ☐
- Ein streunender Hund ☐
- Ein Mann mit einem Frisbee ☐
- Ein Junge mit Schildkrötenschwimmflügeln ☐
- Ein Fußball ☐
- Jemand, der nicht schwimmen kann ☐
- Eine Gitarren-Session ☐
- Ein Mann mit grünen Schuhen ☐

Checkliste für Spürnasen

- Ein rosa Hummer ☐
- Zwei Fische mit rosa Lippen ☐
- Ein hässlicher Aal ☐
- Eine Qualle ☐
- Ein Schwertfisch ☐
- Ein herumbummelnder Clownfisch ☐
- Ein roter Krebs ☐
- Sieben Fische mit Rautenmuster ☐
- Ein Taucher mit einem Messer ☐
- Zwei gelbe Flossen ☐

Checkliste für Spürnasen

- Ein Mädchen auf einem Springstock ☐
- Eine Frau mit einem blauen Koffer ☐
- Eine grüne Flagge ☐
- Ein großes, graues Kamel ☐
- Ein Paar, das sich über einen Teller streitet ☐
- Ein Mädchen, das eine Orange stiehlt ☐
- Ein Bücherwurm ☐
- Ein Schlangenbeschwörer ☐
- Ein Paar gelbe Pantoffeln ☐
- Ein Mann, der in der Nase popelt ☐

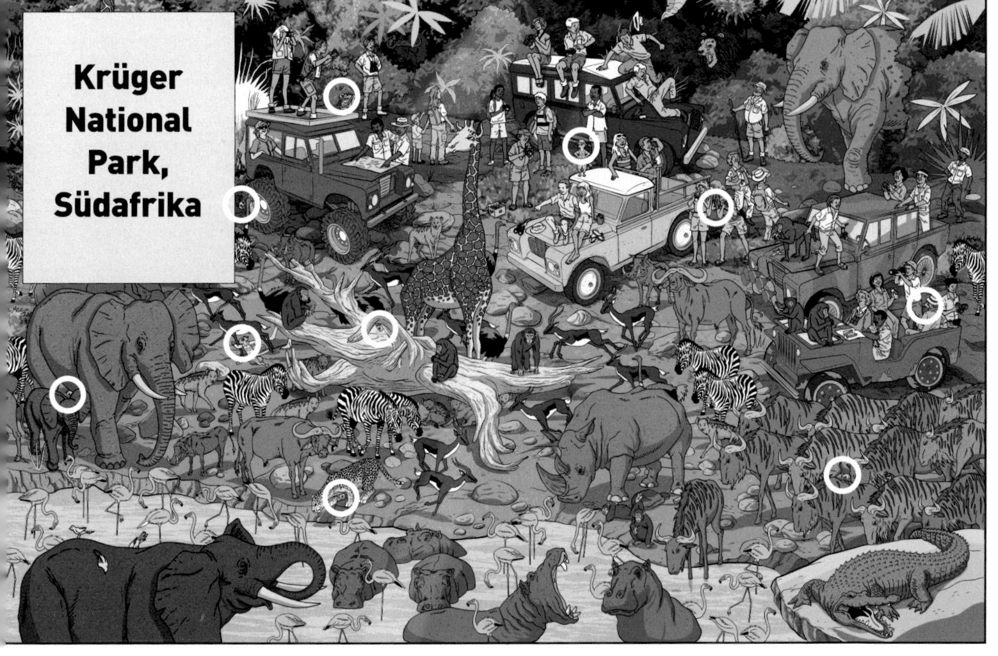

Checkliste für Spürnasen

- Ein Elefantenbaby ☐
- Ein schüchterner Büffel ☐
- Ein Affe, der gerne ein Sandwich stibitzen würde ☐
- Ein Hut mit Leopardenmuster ☐
- Ein Löwe, der Touristen in Angst versetzt ☐
- Eine Frau mit einem gestreiften Oberteil ☐
- Drei Warzenschweine ☐
- Ein Schimpanse, der sich ausruht ☐
- Ein Flamingo mit einem weißen Schwanz ☐
- Ein durstiges Raubtier ☐

Baumhaus Verlag in der Bastei Lübbe GmbH & Co. KG

Die Originalausgabe erschien 2011 mit dem Titel „Where´s the Meerkat?" in Großbritannien im Verlag Michael O'Mara Books Limited, 9 Lion Yard, Tremadoc Road, London SW4 7NQ.
www.mombooks.com

Redaktion: Harald Kiesel
Satz: Götz Rohloff, Köln

Printed in China

ISBN: 978-3-8339-0116-4

5 4 3 2 1
Sie finden den Verlag auch im Internet unter www.baumhaus-verlag.de
Bitte auch beachten: www.luebbe.de